D0306389

FOLIO CADET

Traduit de l'anglais
par Olivier de Broca

Maquette : Karine Benoit

ISBN : 2-07-054730-2
Titre original : *Lizzie Zipmouth*
Édition originale publiée par Transworld Publishers,
a division of The Random House Group Ltd, Londres
© Jacqueline Wilson, 2000, pour le texte
© Nick Sharratt, 2000, pour les illustrations
© Éditions Gallimard Jeunesse, 2002, pour la traduction française
N° d'édition : 02200
Loi n° 49-956 du 16 juillet 1949 sur les publications destinées à la jeunesse
Dépôt légal : septembre 2002
Imprimé en Italie par Editoriale Lloyd

Jacqueline Wilson

Lulu Bouche-Cousue

illustré par Nick Sharratt

GALLIMARD JEUNESSE

Pour Naomi, avec tous mes remerciements

Ça vous arrive d'avoir des cauche-mars ? L'autre nuit, j'en ai fait un si effrayant que je ne voulais plus me ren-dormir. Le jour commençait tout juste à se lever. Je me suis assise dans le lit et j'ai regardé Maman. Ses cheveux étaient épars sur l'oreiller.

J'aimerais tant avoir de longs cheveux comme Maman. Parfois, elle me laisse les coiffer. Je sais les nouer en un joli chignon. Une fois, je lui ai fait des couettes et on l'aurait prise pour ma sœur au lieu de ma mère.

Je n'ai pas de sœur. Ni de frère. Mais aujourd'hui, je vais hériter de deux demi-frères, Rory et Jake. Je ne les aime pas beaucoup.

Par la même occasion, je vais écoper d'un beau-père. Il s'appelle Sam. Mais je ne prononce jamais son nom. Parce que lui, je ne l'aime pas du tout.

Rien que de penser à lui, je me suis renfrognée. J'ai attrapé une mèche de cheveux de Maman et j'ai tiré dessus.

– Aïe ! Qu'est-ce qui te prend, Lulu ?
Elle a ouvert un œil.

– Je te réveille, c'est tout.

– Il est trop tôt, dit-elle en passant un bras autour de ma taille. Viens contre moi et dormons encore un peu.

Je me suis dérobée.

– Je ne veux pas de câlin. Maman, pourquoi doit-on habiter chez Sam ?

Elle a poussé un soupir.

– Parce que je l'aime.

– Pas moi.

– Ça viendra avec le temps.

– Jamais de la vie.

– On verra bien. Je suis sûre que tu vas adorer faire partie d'une famille nombreuse. Toi, moi, Sam, Rory et Jake.

– Je ne veux pas d'une famille nombreuse. Je préfère une petite famille. Juste toi et moi, dans notre appartement.

On s'amusait bien, toutes les deux.

On allait voir des matches de foot, on mangeait des glaces et on dansait en écoutant de la musique.

Parfois, je restais debout très tard et nous couchions dans le même lit. Je n'aime pas la nuit à cause des cauchemars.

Je rêve souvent de mon premier beau-père. Je déteste les beaux-pères.

Mon vrai papa, je ne le vois plus. Il y a longtemps qu'il ne vit plus avec nous. Il ne vient jamais me voir mais maintenant ça m'est égal.

Mon premier beau-père a disparu de la circulation, lui aussi, et j'en suis ravie. C'était un véritable monstre. Au début, il faisait semblant d'être sympa et marrant. Il m'offrait des tas de cadeaux. Il m'a même acheté une Barbie volante. Depuis des années, je rêvais d'avoir une Barbie mais Maman refusait de m'en acheter. Elle trouve que ça fait trop petite fille. Moi, je n'ai rien contre les jouets de fille. Et j'adorais ma Barbie volante, mais je n'ai jamais pu supporter mon premier beau-père, même au début.

Quand nous sommes allées vivre chez lui, il était encore gentil quand il se levait du bon pied, mais il est devenu de plus en plus grognon. Bientôt, il s'est mis à crier après moi. J'ai voulu répliquer mais il m'a giflée. Il prétendait que je lui tapais sur les nerfs. Une chose est sûre, il tapait sur les miens, de nerfs. Il disait qu'il ne ressentait aucune affection pour moi. De mon côté, je le détestais.

Quant à Maman, elle avait cessé de l'aimer, surtout depuis qu'il s'en prenait à moi. Alors nous sommes parties. Nous avons recommencé comme avant, rien que Maman et moi.

Nous avions notre appartement. Tout petit, avec des taches noires de moisi dans la salle de bains et le chauffage qui ne marchait pas, mais ça n'avait aucune importance. Nous avions notre nid, Maman et moi.

C'est alors qu'elle a rencontré ce type, Sam, dans un bar à sandwiches. A eux deux, ils ont avalé des kilomètres de sandwiches. Puis ils ont commencé à sortir ensemble. Après, il a fallu que je sorte avec eux le week-end, que ça me plaise ou non. Rory et Jake, les deux fils de Sam, étaient de la fête. Ils ne voyaient

plus leur mère. La mienne semblait leur convenir. Mais moi, je ne pouvais pas voir leur père en peinture.

– Je ne veux pas de Sam pour beau-père, ai-je lancé à Maman.

Pour la centième fois, au moins.

– Il n'a rien à voir avec l'autre, Lulu, je te promets.

J'adore ma maman mais je ne la crois pas forcément les yeux fermés, même quand il s'agit d'une promesse.

– Lulu ? Allez, ne fais pas cette tête. On ne s'amuse pas bien quand on sort ensemble, tous les cinq ?

Maman s'est bien amusée, pour sûr. Elle se promenait avec Sam, fredonnait de vieilles chansons ou parlait comme un moulin en lui tenant la main.

Sam s'est amusé, lui aussi. Il ricanait bêtement, chantait avec Maman ou lui racontait des blagues idiotes en la prenant par la taille.

Rory aussi s'est amusé. Il a joué au foot avec Maman, puis elle lui a appris à plonger quand on est allés à la piscine, et au restaurant, comme il n'arrivait pas à

se décider entre une pizza et des pâtes, il a eu le droit de prendre les deux.

Même Jake s'est amusé. Il s'est gavé de bonbons toute la journée et Maman lui a offert une brosse à dents musicale pour que le sucre ne gâte pas ses dents. Il l'a gardée dans la bouche la moitié du temps. Et ses treize doudous ont subi un brossage de dents en règle et en musique.

Moi, je ne me suis pas amusée. Pour commencer, Jake est trop bébé. Et puis ça n'est pas juste. Maman trouve très bien qu'il collectionne les doudous. Maintenant, les garçons ont le droit d'être comme les filles.

Je n'ai pas aimé Rory non plus. Quand on jouait au football, il n'arrêtait pas de me bousculer. Je ne crois pas qu'il cherchait à me faire mal, mais le résultat était le même. Ensuite, à la piscine, il m'a éclaboussée. Et là, il faisait exprès.

Je n'ai pas du tout aimé Sam. Je savais bien qu'il ne resterait pas longtemps gentil et souriant. Les cris n'allaient pas tarder. Il essayait n'importe quoi pour faire ami-ami avec moi. Mais je gardais les yeux fixés par terre, sans dire un mot.

C'est là que j'ai décidé de ne plus adresser la parole à personne.

Je n'ai pas pipé mot pendant tout le petit déjeuner. Pas davantage lorsque je faisais ma toilette et que je m'habillais. Je n'ai pas ouvert la bouche en entassant dans la valise mes livres et mes crayons, mes vignettes autocollantes, mon cartable, mes affaires de toilette, ma brosse, mes sous-vêtements, mes tee-shirts, mes shorts, mes pantalons, mon manteau et mes bottes en caoutchouc. Je suis restée muette comme une carpe lorsque Maman a mis à la poubelle ma vieille robe de chambre, ma jupe préférée et mon uniforme de l'école de l'année dernière.

D'après elle, la robe de chambre était couverte de taches et la jupe devenait si courte qu'on voyait ma culotte. Quant à l'uniforme, il ne servirait plus à rien puisque je devais changer d'école après les grandes vacances.

Je me sentais toute cafardeuse dans la voiture, aux côtés de Sam, Rory et Jake. Ils sont venus nous chercher pour nous donner un coup de main avec les bagages.

– Quelle joie d'habiter dans une maison au lieu de cet appartement minable ! a dit Maman. Et ça va être formidable d'avoir un jardin, pas vrai, Lulu ? Tu pourras jouer au foot avec Rory.

– D'habitude, je joue avec les garçons d'à côté, a dit Rory. Mais Lulu pourra peut-être se joindre à nous si elle a envie.

Non merci. Mais je n'ai rien dit.

– Tu vas adorer la balançoire, Lulu, a repris Maman. Tu te rends compte, une balançoire pour toi toute seule !

– C'est ma balançoire, a corrigé Jake.

– Mais tu la prêteras à Lulu, pas vrai ? a demandé Sam.

A en juger par la grimace de Jake, ce n'était pas de gaieté de cœur. De toute façon, je ne voulais pas monter sur son idiote de balançoire. Mais je n'ai rien dit.

– Je ne suis pas obligé de partager aussi ma chambre avec Lulu ? a demandé Jake, soupçonneux. Parce qu'il n'y a pas assez de place, avec les lits de mes doudous.

Ce n'était pas de vrais lits mais treize boîtes à chaussures avec des mouchoirs en papier en guise de couvertures. Maman a fait semblant de trouver ça mignon. Moi, je trouvais ça grotesque. Mais je n'ai rien dit.

– Il y a toutes mes affaires de football, ma collection de musique rock et mon élevage de vers de terre dans ma chambre, s'est empressé d'énumérer Rory. Je veux bien partager ma chambre avec Lulu mais autant la prévenir : les vers ont la bougeotte. Ils pourraient bien atterrir dans son lit.

J'en avais des frissons rien que d'y penser. Mais je n'ai rien dit.

Je me suis collée à Maman. Elle savait bien que je voulais dormir dans sa chambre. Seulement il fallait compter avec Sam maintenant.

– Lulu aura sa propre chambre, a-t-il annoncé. Je vais lui laisser le bureau. Mon ordinateur tiendra facilement dans notre chambre.

– Parfait ! s'est exclamée Maman. Tu en as de la chance, Lulu !

Oui, tu parles d'une veine.

– Qu'est-ce qui te ferait plaisir pour la décoration, Lulu ? Tu choisiras toi-même la couleur des murs et on t'achètera des rideaux et une couette assortis. Que dirais-tu de… rose ?

– Non, ça fait petite fille, a dit Maman.

– Alors tu préfères rouge, Lulu ? Ou mauve ?

J'aimais bien le rose. Mais je n'ai rien dit.

Sam a peint les murs en mauve et Maman a acheté des rideaux à gros carreaux rouge et violet, et une couette dans les mêmes tons. Sam a aussi déniché un

petit fauteuil rouge et un tapis violet à poil long.

— C'est pas joli ? s'est extasiée Maman. Qu'est-ce que tu en dis, Lulu ?

Je n'en ai rien dit du tout.

— Pourquoi tu ne parles jamais, Lulu ? a demandé Rory. A croire qu'on t'a cousu les lèvres.

— Lulu Bouche-Cousue, a ricané Jake. Tu sais parler au moins ?

— Pas de surnom ridicule, a dit Sam. Et bien sûr qu'elle sait parler. Elle est encore un peu timide, voilà tout.

Il a contemplé ma nouvelle chambre.

— Que peut-on faire pour que Lulu se sente bien chez elle ? Et tes jouets ? Si tu les installais ?

Des jouets, je n'en avais pas tant que ça. Ils ont tenu dans un tiroir. J'aurais voulu avoir ma Barbie volante mais on l'a oubliée quand on a déguerpi de chez mon premier beau-père. J'espère qu'elle a réussi à s'échapper en s'envolant par la fenêtre.

Vivement le jour où on fichera le camp loin de ce deuxième beau-père ! D'accord, pour le moment, il était tout sourire mais le masque allait bientôt tomber. Les cris recommenceraient. J'étais sûre et certaine qu'il faisait semblant d'être sympa.

Pour Rory, j'avais des doutes. Peut-être qu'il était vraiment gentil, après tout. Il a punaisé un de ses posters de Manchester United sur le mur de ma chambre.

– Voilà ! En plus, le maillot rouge va bien avec le reste.

Sam a suggéré à Jake de me céder un de ses doudous. Il n'a rien voulu entendre.

– Ils sont à moi. Pas question de les donner à Lulu Bouche-Cousue.

– Arrête de l'appeler comme ça. Que dirais-tu du nounours violet ? Il serait bien dans la chambre de Lulu.

– Non, il détesterait ça !

Moi aussi, je détestais ma chambre. Tout ce rouge et mauve me faisait mal aux yeux.

J'ai ouvert le placard et je me suis enfermée dedans.

Je me suis vite sentie seule dans le noir. J'ai enfilé mes pantoufles sur mes mains et je leur ai fait exécuter une petite danse mais c'était le seul jeu auquel je pouvais penser.

Au bout d'un moment, j'ai entendu

Rory qui m'appelait. Puis ç'a été Maman, Sam et même Jake.

– Lulu ?

– Où es-tu, Lulu ?

– Lulu Bouche-Cousue ?

Ils ont crié mon nom des dizaines de fois.

Je n'ai toujours rien dit. Mes lèvres étaient cousues pour de bon.

Maman m'a drôlement secoué les puces quand elle m'a enfin trouvée. Elle était très en colère parce qu'elle a cru que j'avais fait une fugue.

Sam ne m'a pas grondée. Bizarre. Mais il aurait peut-être préféré que je m'enfuie ?

– Tu as fait pleurer ta maman, a dit Rory.

– Tu es méchante, Lulu Bouche-Cousue, a renchéri Jake.

Maman voulait que je présente des
excuses publiques pour m'être cachée
dans le placard. Mais pas question d'arti-
culer un seul mot. Alors on m'a envoyée
au lit sans dîner.

J'ai fait celle qui s'en contrefichait.
Plus tard, Sam a frappé à ma porte. Il a
chuchoté mon nom puis il est entré à pas

de loup dans ma chambre. Je me suis cachée sous la couette. J'étais sûre qu'il allait se mettre à crier.

Mais il n'a pas dit un mot. Après son départ, j'ai jeté un œil à la ronde. Il avait laissé une grosse barre de chocolat sur ma table de nuit. Dans un emballage mauve assorti au décor.

Rory et Jake sont aussi venus dans ma chambre lorsqu'ils sont montés, à l'heure normale du coucher. Rory m'a laissé un biscuit. Il était un peu en miettes parce qu'il l'avait caché dans sa poche. Je n'ai rien dit mais je lui ai souri. Jake ne m'a rien apporté à manger. En revanche, il a couru me chercher son nounours violet.

– Je te prête Monsieur Violet pour cette nuit. Tu me le rends demain matin, d'accord, Lulu Bouche-Cousue ?

J'ai fait « oui » de la tête.

Je n'ai pas touché au chocolat mais j'ai grignoté le biscuit et j'ai serré Monsieur Violet dans mes bras. Puis je me suis mise en boule pour m'endormir.

Et vous savez quoi ? Maman est arrivée avec un plateau-repas dans les mains. Je n'ai même pas eu à demander pardon. En fait, c'est Maman qui s'est excusée ! Elle m'a fait un gros câlin et elle a versé une larme. Elle a promis

qu'elle ne se fâcherait plus jamais contre moi. Mais comme j'ai déjà dit, je ne prends pas toutes ses promesses pour argent comptant.

Le lendemain était un dimanche. Maman et moi, nous nous amusions beaucoup le dimanche quand nous étions une famille de deux. Nous faisions la grasse matinée et nous jouions à « l'Ours dans la grotte » sous les couvertures. Une fois, Maman m'a laissé apporter un pot de miel au lit et elle a juste ri quand les draps sont devenus tout collants.

Le matin, Maman aimait lire le journal. Moi, je m'amusais avec les photos, je dessinais des moustaches aux femmes et de longues boucles

d'oreilles aux hommes. Puis nous allions pique-niquer dans le parc. Et tant pis s'il pleuvait ! Ça nous était complètement égal. Nous disions que c'était un temps idéal pour les canards et nous poussions des « coin, coin, coin ». Le soir, nous regardions des vidéos. Maman avait un faible pour les vieux films en noir et blanc, et moi pour les dessins animés aux couleurs éclatantes.

Nous passions des dimanches FORMI-DABLES.

Mes nouveaux dimanches s'annonçaient très mal. Maman et Sam restaient au lit pendant que Rory et Jake disputaient une bataille de polochons ou pianotaient sur leur ordinateur. Je suis restée assise au fond de mon placard. J'aurais voulu avoir Monsieur Violet pour me tenir compagnie mais il avait réintégré sa boîte à chaussures dans la chambre de Jake.

A l'heure du déjeuner, nous sommes tous allés au pub. Je n'aime pas les vrais repas, avec une assiette de viande, des légumes et du pudding. J'ai tout coupé en petits morceaux et je n'ai rien mangé.

Jake s'est mis à jouer avec sa nourriture, lui aussi. Sam l'a grondé.

– C'est pas juste ! Lulu Bouche-Cousue a fait la même chose.

— Je t'ai déjà dit de ne pas lui donner de surnoms idiots. Dépêche-toi de manger, Jake !

— Mange, toi aussi, Lulu, a dit Maman.

Mes lèvres sont restées scellées.

— C'est un bébé, a ronchonné Jake.

Il a laissé tomber sa fourchette pleine de pomme de terre dans son assiette et la sauce a éclaboussé Maman.

— Vous êtes deux bébés ! Regarde mon chemisier blanc ! Moi qui voulais me mettre sur mon trente et un pour rencontrer ta grand-mère, Sam.

Parce qu'on devait prendre le thé chez cette très vieille dame, la grand-mère de Sam, donc l'arrière-grand-mère de Rory et de Jake.

— Alors ça veut dire qu'elle est la belle-arrière-grand-mère de Lulu ? a demandé Rory.

Je n'ai jamais connu mes arrière-grand-mères. J'ai bien une grand-mère qui habite au bord de la mer, un Papy et une Mamy en Ecosse, mais je les vois très rarement. Alors à quoi bon faire la connaissance de cette arrière-grand-mère par alliance ?

— Mes parents vivent en Australie, a dit Sam. Grand-Mamy occupe une place à part dans mon cœur.

Au son de sa voix, on aurait juré qu'il parlait d'une sorcière !

– Elle n'est pas méchante, a dit Rory, mais elle est très sévère. Elle me reprend chaque fois que je prononce un mot d'argot. Elle prétend que ça fait négligé.

– Moi aussi, elle dit que je suis négligé, a crié Jake. Elle n'arrête pas de lécher son mouchoir pour me frotter le visage. Berk ! J'ai horreur de ça.

Je n'avais aucune envie de me faire gronder ou décrasser le museau par cet épouvantail ambulant. J'ai regardé Maman. Elle paraissait aussi terrorisée que moi à l'idée de se faire tancer ou passer la bouche au savon.

Grand-Mamy habitait dans une sorte de gratte-ciel. J'espérais que son appartement serait tout en haut mais il était situé au rez-de-chaussée. Sam a dit que c'était pour économiser ses jambes. Je me suis demandé si elles avaient tendance à se raboter. Ou peut-être qu'elles menaçaient de casser aux jointures, comme sur les vieilles poupées.

D'ailleurs, Grand-Mamy ressemblait un peu à une vieille poupée. Une vieille dame toute raide est apparue sur le seuil. Ses cheveux noirs étaient tellement tirés en arrière que ça faisait ressortir ses yeux. Quand elle s'est baissée pour embrasser Rory et Jake, ses articulations

ont grincé. Moi, elle ne m'a pas embras-
sée. Elle m'a juste regardée de la tête
aux pieds. Puis elle a examiné Maman
de la même façon.

– Enchantée de faire votre connaissance, a bredouillé Maman.

Grand-Mamy n'avait pas l'air du tout
enchanté.

– Dis bonjour à l'arrière-grand-mère
de Rory et de Jake, m'a soufflé Maman,
en sachant pertinemment que je n'en
ferais rien.

Je n'ai pas ouvert la bouche. J'ai
baissé les yeux sur le paillasson. Il disait
BIENVENUE. Ce paillasson était un sale
menteur.

Grand-Mamy a eu une moue désap-
probatrice.

– Bon, ne restez pas là...

Maman m'a tenu la main serrée et
nous sommes entrés.

– Seigneur ! Essuyez vos pieds ! Pitié pour ma moquette beige.

Mais je n'ai prêté aucune attention à la moquette. Je contemplais les murs de l'appartement. Des centaines d'yeux brillants m'observaient fixement !

Des poupées par centaines ! Des poupées de porcelaine en robe et tablier blancs, chaussées de bottines à boutons, des poupées en tissu aux joues roses et aux cheveux bouclés, des baigneurs en tenue de baptême, des figurines portant de hauts talons et un minuscule parapluie, une poupée japonaise en kimono avec un tout petit éventail, des poupées en uniforme d'école, en costume de bain ou en habit de soirée. Des poupées aussi grandes que moi, juchées sur de vrais fauteuils en osier, d'autres de taille moyenne, en rang d'oignon sur les étagères, d'autres pas plus grosses que mon pouce, qui se promenaient dans le jardinet jouxtant une maison miniature.

– Grand-Mamy collectionne les poupées, a cru bon de préciser Rory.

– Mais pas les doudous, a ajouté Jake.

Sam a posé la main sur mon épaule.

– Tu as froid, Lulu ? Tu frissonnes !

– Lulu adore les poupées, a dit Maman.

– Eh bien, je suis sûr que Mamy te laissera les admirer.

Mais Sam n'avait pas l'air sûr du tout.

– Elle peut regarder, mais ne doit pas toucher, a décrété Grand-Mamy.

J'ai mis les mains derrière le dos pour bien montrer que je n'avais pas l'intention de même effleurer une de ses poupées de porcelaine.

– Ce sont des objets de collection. Pas des jouets pour les enfants.

J'ai hoché la tête. J'étais très impressionnée. Moi qui croyais avoir déjà passé l'âge des poupées ! Grand-Mamy était vraiment très vieille et elle en avait des centaines. Du coup, je savais exactement ce que je voulais devenir quand je serais grande. Collectionneuse de poupées !

J'ai fait le tour de l'appartement à pas lents, avec beaucoup de précaution. Il y avait des étagères chargées de poupées dans tout le salon. Trois ballerines faisaient même des pointes sur la télévision. A la cuisine, une rangée de poupées rigolotes, avec de gros ventres,

reposaient sur le rebord de la fenêtre, tandis qu'une sirène à la longue queue verte se rafraîchissait dans la salle de bains. Dans la chambre de Grand-Mamy, les poupées étaient toutes habillées pour la nuit, avec des chemises blanches bordées de rubans roses, des pyjamas à rayures bleu et blanc, des robes de chambre en molleton rouge et des pantoufles terminées par d'adorables pompons.

– Alors ? Qu'en dis-tu ? a demandé

Grand-Mamy, qui me suivait d'un pas mécanique.

Je n'ai pas répondu. Mais mon visage devait parler pour moi car Grand-Mamy a hoché la tête d'un air satisfait.

– Je ferais mieux d'aller mettre de l'eau sur le feu. Parce qu'ils n'y auront pas pensé, ces gros bêtas.

J'ai jeté un dernier regard à la plus petite des poupées. Les nattes nouées par de minuscules rubans roses, elle tenait dans ses bras un lapin rose pas plus grand qu'un haricot.

– Tu peux rester ici à regarder. Mais seulement si tu promets de ne rien toucher.

J'ai recommencé ma pantomime, les mains sagement derrière le dos. Cette fois, ça n'a pas suffi.

– Promets-moi.

Je n'ai rien dit mais j'ai essayé si fort

de prendre l'air de quelqu'un qui promet que les larmes me sont montées aux yeux.

Ceux de Grand-Mamy était d'un bleu très vif pour une vieille dame. Tandis qu'elle me regardait, guettant ma réponse, ils brillaient avec encore plus d'éclat.

– Je n'ai pas bien entendu...

Elle a mis une main en entonnoir sur son oreille.

— Parle plus fort !

Nous nous sommes dévisagées. Je savais où elle voulait en venir. Et elle savait que je savais. Nous nous sommes longtemps fixées dans le blanc des yeux.

— Tu ne veux pas promettre ? Alors sors de cette chambre tout de suite.

Je l'ai suppliée du regard.

— Qu'est-ce qu'il y a ? Pourquoi ne veux-tu pas me donner ta promesse ?

J'ai secoué la tête.

— Tu as perdu ta langue ?

J'ai encore secoué la tête.

— Je suis sûre que tu peux parler si tu veux. Allez, ouvre le bec !

Elle a prononcé cet ordre avec une telle autorité que j'ai aussitôt ouvert la bouche en grand.

— Ha-ha ! Tu vois ? Tu as une langue. Et deux rangées de petites dents blanches. Alors veuillez en faire usage, ma chère. Et que ça saute !

Ma langue et mes dents sont entrées en action contre ma volonté.

– C'est promis ! ai-je murmuré.

Grand-Mamy a esquissé un sourire de

triomphe. Et toutes les poupées de sa chambre semblaient sourire avec elle.

Maman m'a appelée depuis le salon. J'ai recousu mes lèvres.

– Ne t'en fais pas, dit Grand-Mamy. Je ne dirai rien aux autres.

En signe de secret, elle a posé un doigt sur ses lèvres. J'en ai fait autant.

— Toi, tu es un drôle de numéro, a dit Grand-Mamy. Mais je suis contente que tu aimes mes poupées. Reviens donc me voir à l'occasion. J'ai encore des poupées rangées dans des malles. Je te laisserai peut-être jouer avec si tu es très, très sage.

Je n'ai pas toujours été très sage à la maison. Il faut dire que j'avais fait de gros efforts chez mon premier beau-père. On ne m'y reprendrait pas. Sam ne réussirait pas à me berner. Il n'allait pas tarder à se révéler aussi cruel que son prédécesseur. Pire peut-être. Du coup, quand il s'occupait du repas, je ne mangeais rien, même si au menu il y avait un de mes plats préférés, comme une pizza. Lorsqu'il choisissait une cassette vidéo, je tournais ma chaise le dos à la télévision pour ne pas regarder, tant pis si c'était *Les Quatre Filles du Dr March* ou *Black Beauty* ou *Le Jardin secret*. Lorsqu'on sortait et que Sam nous ache

tait des glaces, je ne touchais pas à la mienne – même si c'était un gros cornet avec un coulis de fraise et des pépites de chocolat. J'en avais l'eau à la bouche rien que de le regarder mais je ne l'ai pas léché une fois. La glace a fondu et dégouliné le long de ma manche.

– Franchement, Lulu, ça rime à quoi, tous ces caprices ? a dit Maman.

Avec un soupir, elle a jeté ma glace dans le caniveau. Sam a poussé un soupir, lui aussi. Cette fois, j'étais sûre qu'il allait me sonner les cloches. Mais non.

Il m'a juste demandé si j'avais envie de revoir Grand-Mamy.

— Oh, Papa, on est vraiment obligés ? s'est exclamé Rory. Je croyais qu'on n'y allait que le dimanche.

— On ne peut pas jouer chez Grand-Mamy, a ajouté Jake. Il n'y a rien à faire.

– C'est une invitation spéciale pour Lulu, a dit Sam. Tu veux que je t'y emmène en voiture après le goûter ?

Je ne savais pas quoi répondre. J'avais très envie d'aller voir Grand-Mamy et ses poupées. Mais je ne voulais pas y aller avec Sam. Je me suis tournée vers Maman.

– Désolée, Lulu, je ne sais pas conduire la voiture de Sam.

J'ai insisté du regard.

– De toute façon, je ne peux pas venir. Je dois rester pour garder Rory et Jake.

Mes yeux se sont portés sur Sam.

– Alors ? Tu viens, Lulu ?

Je n'ai rien dit. Je me suis contentée d'un bref hochement de la tête.

Il m'a attachée à l'arrière de la voiture.

– C'est confortable comme ça ?

Nouveau hochement de tête.

En chemin, Sam a glissé une cassette dans l'autoradio, des comptines idiotes qui parlaient de brosses à dents roses, de souris en sabots et d'éléphants de cirque. Sam les connaissait toutes par cœur.

– Tu peux chanter avec moi si tu veux.

Je n'ai pas chanté. Pourtant mes pieds qui balançaient dans le vide se sont mis à battre la mesure en cachette lorsque Sam a entonné une chanson sur une maison qui avait des murs en carton et des escaliers en papier.

Sam m'a conduite jusque chez Grand-Mamy mais il n'est pas resté. Il a dit qu'il reviendrait me chercher dans une heure.

– Elle sera peut-être morte d'ennui avant, a répondu Grand-Mamy.

Je ne me suis pas du tout ennuyée. Au contraire, je ne m'étais jamais autant amusée. Grand-Mamy m'a offert une nouvelle visite de son appartement. J'ai admiré les poupées sur les étagères,

celles dans les fauteuils, sur le rebord des fenêtres, les poupées en chemise de nuit dans la chambre. Puis, pleine d'espoir, je me suis tournée vers Grand-Mamy. Elle m'a regardée.

– Qu'est-ce qu'il y a ?

Ses yeux brillaient comme ceux des poupées.

J'ai avalé ma salive. Ma voix m'a paru toute rouillée quand j'ai pris la parole.

– Je peux voir celles qui sont dans la malle ?

– Parle plus fort ! Et n'oublie pas de dire s'il te plaît !

– S'il te plaît, je peux voir les poupées dans la malle ? S'il te plaît.

J'ai parlé si fort que toutes les poupées ont dû sursauter.

– Bien sûr, a dit Grand-Mamy. Voilà une petite fille bien élevée. Suis-moi. Tu vas m'aider à les sortir.

Elle rangeait les malles au fond de sa penderie. Il y en avait deux, empilées l'une sur l'autre. J'ai dû me hisser sur la pointe des pieds pour atteindre la plus haute.

– Fais attention.

Je faisais tellement attention que j'avais l'impression de bouger au ralenti. A en juger par son poids, la malle devait contenir plusieurs poupées. Lorsque Grand-Mamy a enfin soulevé le couvercle, je les ai vues, allongées en rang, les yeux fermés. On aurait dit qu'elles dormaient profondément.

– Tu peux les réveiller, a dit Grand-Mamy.

Avec soin, j'ai pris une grande et belle poupée aux longs cheveux blonds.

Elle portait une chemise de nuit blanche mais pas de chaussons. Ses pieds de porcelaine étaient d'un blanc pâle, avec les ongles peints en rose. Il lui manquait une main mais ça m'était égal.

– Comme elle est belle ! ai-je murmuré en la berçant doucement.

– Elle s'appelle Alice. Elle doit avoir un peu froid dans cette tenue légère. Tu veux lui choisir des vêtements ?

La deuxième malle était remplie de vêtements soigneusement pliés : des robes, des manteaux à col de fourrure, des costumes de marin, des tabliers à carreaux, des sous-vêtements en dentelle, des bas noirs et des bottines munies de boutons nacrés.

Ma main a hésité au-dessus des vêtements.

– Vas-y, fouine un peu. Mais ne les froisse pas.

Mes doigts tremblants se sont faufilés parmi les vêtements et j'ai trouvé une robe bleue avec un col de dentelle blanche et une large ceinture en satin d'un bleu plus foncé.

– Elle peut porter celle-là ?

– Je crois que c'est sa tenue préférée.

J'ai habillé Alice, en manipulant ses bras et ses jambes avec délicatesse. Les manches, un peu trop longues pour elle, cachaient sa main coupée. Elle était parfaite.

Ensuite, j'ai réveillé Sophie, Charlotte, le petit Edouard et Clémentine, et je les ai tous habillés.

– Voilà ! a dit Grand-Mamy lorsque j'ai eu fini. Elles sont très élégantes ! Prêtes pour sortir dans le monde.

Elle a ouvert une autre boîte qui contenait un service à thé en faïence bleu et blanc.

J'ai cru que nous allions faire semblant de leur servir à boire mais Grand-Mamy

a fait du vrai thé parfumé à la rose et elle
a ouvert un paquet de biscuits ronds qui
tenaient pile dans les assiettes.

Nous étions encore en train de jouer
lorsque Sam est venu me chercher.

— Tu t'es bien amusée, Lulu ?

Je n'ai rien dit. Pas question de parler à Sam. Mais j'ai hoché la tête tellement fort que j'en ai eu mal au crâne. Et en déposant un baiser sur la joue poudrée de Grand-Mamy, j'ai murmuré :

— S'il te plaît, je peux revenir un autre jour ?

Je suis allée chez Grand-Mamy presque tous les jours. Je jouais avec Alice, Sophie, Charlotte, Edouard et Clémentine. Parfois nous organisions des goûters pour les poupées. Parfois aussi, Grand-Mamy et moi prenions le thé comme de vraies dames, dans de grandes tasses fleuries, en mangeant des canapés ou des petits-fours recouverts

d'un glaçage rose et d'une cerise.
Grand-Mamy me laissait les couper en
petits morceaux pour en donner à Alice,
Sophie, Charlotte, Edouard et Clémentine.

Un après-midi, Rory et Jake sont
venus avec moi. Rory a été poli mais il
n'arrêtait pas de bâiller et, une fois de
retour à la maison, il s'est mis à courir

comme un fou dans le jardin en faisant des bonds et en poussant des cris de joie.

– Super, on est rentrés à la maison ! Chez Grand-Mamy, c'est mortel !

Sam lui a dit qu'à l'avenir il pourrait s'en tenir aux visites du dimanche.

– Et toi, Jake ?

– Je n'en sais rien. Je ne raffole pas des poupées. Mais j'aime bien le goûter. Je pourrais emporter mes doudous.

J'ai froncé les sourcils. Jake ne jouait pas comme il faut avec ses doudous. Il s'excitait pour un rien, les jetait en l'air et les faisait se battre entre eux. Il allait renverser les tasses. Grand-Mamy rangerait Alice, Sophie, Charlotte, Edouard et Clémentine dans leur malle, ça ne ferait pas un pli.

Sam a passé un bras autour de Maman.

– J'imagine que tu ne tiens pas à jouer

à la poupée ni à prendre le thé chez Grand-Mamy ?

– Non merci ! Mais je suis ravie que Lulu s'entend bien avec ta grand-mère. Elle aurait plutôt tendance à me glacer !

– Ne t'en fais pas, elle me terrifie ! a dit Sam.

– Elle peut être assez effrayante, a dit Rory.

– Moi, je l'aime bien.

Tous les regards se sont tournés vers moi.

– Lulu a parlé ! s'est exclamé Rory.

– Sa bouche s'est décousue !

Maman et Sam arboraient un sourire jusqu'aux oreilles. Je leur ai souri, moi aussi. Puis j'ai trottiné jusque dans ma chambre pour prendre mon tricot. J'ai

commencé une petite écharpe pour Alice. C'est Grand-Mamy qui m'a appris à tricoter. A Jake aussi. Il veut faire treize écharpes aux couleurs de l'arc-en-ciel, une pour chacun de ses doudous, mais pour le moment il en est au cinquième rang de la première écharpe. La mienne était presque terminée mais j'ai dû sauter plusieurs mailles. J'avais besoin de voir Grand-Mamy pour lui demander de m'aider.

Nous étions censés aller chez elle le dimanche, en famille. Mais le vendredi soir, la sonnerie du téléphone a retenti. Ça m'a réveillée. J'ai entendu la voix de Sam. Il paraissait très inquiet. Lorsque j'ai jeté un œil par l'entrebâillement de ma porte, j'ai vu qu'il faisait une grimace comme Jake quand il est sur le point de pleurer.

– Oh, Lulu, je viens de recevoir une nouvelle très triste, a dit Sam en montant l'escalier.

Il a posé un bras sur mes épaules.

– C'est Grand-Mamy.

– Elle est morte ?

– Non, elle n'est pas morte, ma puce, mais elle est très malade. Elle a eu une crise cardiaque. Elle n'arrive plus à marcher ni à parler. Elle est à l'hôpital. Je cours la voir.

– Je viens aussi !

– Non, ma belle, pas maintenant. Il est trop tard. Regarde, tu trembles. Saute dans le lit de ta maman pendant que je vais à l'hôpital.

Je me suis pelotonnée contre Maman. Elle m'a dit de me rendormir mais impossible de trouver le sommeil. Je n'arrêtais pas de penser à Grand-Mamy, incapable de marcher ou de parler, allongée sur son lit d'hôpital comme les poupées dans leur malle.

■■■ CHAPITRE 7 ■

Sam a passé presque toute la journée du samedi à l'hôpital. Maman nous a emmenés au stade de football, Rory, Jake et moi. C'était un très bon match et notre équipe a gagné. Rory et Jake ont sauté de joie et poussé des cris puis ils se sont rappelé Grand-Mamy et ils sont retombés sur leur siège, la mine coupable.

– Ce n'est rien, les garçons, a dit

Maman en les entourant de ses bras. On peut être triste pour cette pauvre Grand-Mamy et profiter quand même du match. Grand-Mamy serait contente de savoir que vous vous amusez.

J'ai regardé Maman d'un air dubitatif. Je connaissais Grand-Mamy bien mieux qu'elle. A ses yeux, un terrain de football n'était qu'un gâchis d'espace. Et elle se considérait comme beaucoup plus

importante que n'importe quelle équipe de football du monde. Elle aurait voulu nous savoir sagement assis à la maison dans nos habits du dimanche, Rory, Jake et moi, en train de nous inquiéter pour sa santé.

Moi, en tout cas, je me faisais du mauvais sang.

– Je veux voir Grand-Mamy.

– Je ne suis pas sûre que les enfants soient autorisés à l'hôpital.

Rory et Jake ont poussé un soupir de soulagement.

Ce soir-là, j'ai guetté le retour de Sam. Il avait les traits tirés et les yeux rouges, comme s'il avait pleuré.

– Je vais te faire un tasse de thé, ai-je dit.

Il a paru surpris.

– Je sais faire du très bon thé. Grand-Mamy m'a montré. Et je ferai bien attention à ne pas me brûler avec la bouilloire.

– Tu es une petite fille très dégourdie, Lulu. D'accord, une tasse de thé me ferait le plus grand bien.

J'ai préparé le thé toute seule. Maman est restée derrière moi pour me surveiller mais j'ai refusé son aide. J'ai porté sa tasse à Sam sans en renverser une goutte.

— Délicieux, a-t-il dit après la première gorgée. Merci beaucoup, Lulu.

— Comment va Grand-Mamy ?

— Pas très bien.

— Elle va guérir ?

— J'espère.

— Elle arrive à marcher et à parler maintenant ?

— Elle va devoir tout rapprendre, comme un bébé. Les infirmières font déjà de leur mieux. Mais elle n'écoute pas toujours ce qu'on lui dit.

J'ai hoché la tête. J'avais du mal à imaginer Grand-Mamy se laissant dicter sa conduite par quiconque.

— Je peux la voir, Sam ? Demain ?

— Euh… Ça risque de te faire un choc, ma chérie.

— Moi, ça me ferait un choc, a dit Rory.

— S'il te plaît, je peux y aller ? ai-je insisté.

– Ce n'est peut-être pas une bonne idée, Lulu, est intervenue Maman.

– S'il te plaît, Sam.

Je l'ai tiré par la manche.

– Bon, d'accord, Lulu, puisque tu y tiens tant.

J'ai voulu lui sauter au cou… et j'ai envoyé valser sa tasse ! Le thé s'est renversé sur son pantalon mais il ne m'a pas grondée. Au contraire, il m'a prise dans ses bras !

Le dimanche après-midi, Sam m'a emmenée à l'hôpital voir Grand-Mamy. J'ai serré très fort sa main quand nous sommes entrés dans le pavillon. Il ne ressemblait pas à ce que j'avais imaginé. Je m'attendais à des murs d'un blanc immaculé, avec des infirmières en

blouse bien repassée, une jolie coiffe sur la tête. Mais l'endroit semblait quasiment à l'abandon, avec des gens tristes, affalés dans leur lit ou courbés en deux dans leur fauteuil roulant. Un vieil homme pleurait. J'ai failli en faire autant.

– Tu es sûre que ça va aller, Lulu ? a murmuré Sam en se penchant vers moi. On peut encore faire demi-tour si tu préfères.

J'avais drôlement envie de rentrer à la maison. Mais j'avais aussi très envie de voir Grand-Mamy, même si je redoutais de la trouver en piteux état.

– Je veux la voir, ai-je répondu avec un filet de voix.

– Très bien, elle est par là.

Sam m'a conduite jusqu'au lit de Grand-Mamy. Sa paume était moite, comme s'il avait peur, lui aussi.

Grand-Mamy était allongée tout de travers sur son oreiller, les cheveux en bataille et les paupières fermées.

– Tu dors, Mamy ? a murmuré Sam.

Elle a ouvert les yeux en sursaut. Ils étaient toujours d'un bleu vif. Mais leur éclat avait disparu.

– Comment te sens-tu aujourd'hui, Mamy ?

Elle a eu une sorte d'éructation de colère. Visiblement, elle trouvait la question idiote.

– Je t'ai amené de la visite.

Sam m'a poussée gentiment en avant.

– Regarde, c'est la petite Lulu.

Grand-Mamy a tourné la tête. Ses yeux se sont embués, une larme a débordé. Puis elle a eu de nouveaux reniflements énervés. Son nez s'est mis à couler. Elle a essayé de soulever le bras mais il ne répondait pas.

Elle a fait argharghargh.

– Qu'est-ce qu'il y a, Mamy ?

– Elle veut un mouchoir, ai-je traduit.

J'en ai pris un dans le sac à main de Grand-Mamy.

– Je vais d'abord t'essuyer les yeux. Puis ton nez. Et voilà ton peigne. On va te coiffer, d'accord ? Ne t'inquiète pas. Je sais le faire. Je me débrouille plutôt bien avec Alice, non ?

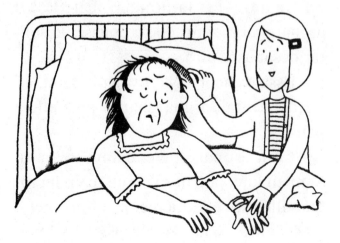

J'ai essuyé ses joues, mouché son nez, peigné ses cheveux.

– Voilà ! Fini !

Grand-Mamy continuait de faire grise mine, la tête inclinée sur le côté.

– Tu veux te redresser ?

Elle a opiné.

Sam m'a aidée à l'installer et à rembourrer son oreiller. Bien droite dans son lit, Grand-Mamy paraissait plus à son aise. Elle m'a regardée.

Elle a ouvert la bouche. Elle a fait argharghargh, puis elle a poussé un soupir désabusé.

– Essaie encore, Mamy, a dit Sam.

Elle a refait argharghargh puis elle a gémi.

– Ce n'est pas grave, calme-toi, a dit Sam en lui tapotant sa petite main recroquevillée sur elle-même.

Mais Mamy ne voulait pas se calmer.

Elle a continué ses gargouillis incompréhensibles.

– Ne t'inquiète pas, tu reparleras vite, a dit Sam, tandis qu'une larme coulait sur sa joue.

– Non, on va te faire parler tout de suite, ai-je dit en lui prenant l'autre main. Je suis sûre que tu peux y arriver, si tu en as vraiment envie. Ouvre le bec !

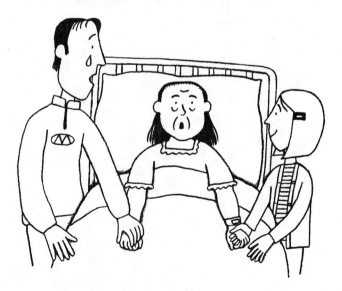

Grand-Mamy a ouvert la bouche. Sam en est resté bouche bée, lui aussi.

– Ah ! Voilà ta langue. Et tes dents. Alors sers t'en, s'il te plaît, Grand-Mamy. ET QUE ÇA SAUTE !

– Espèce de jeune effrontée ! a dit Grand-Mamy d'une voix presque normale.

Elle semblait en colère – mais elle m'a tenu la main comme si elle ne devait jamais la lâcher.

Grand-Mamy n'est pas morte. Elle n'a pas non plus guéri complètement. Il lui a fallu trois mois de rééducation pour rapprendre à marcher. Elle devait s'appuyer sur une canne et se déplaçait très lentement, en boitant. Son bras gauche ne fonctionnait plus très bien alors pendant un temps on devait lui couper sa nourriture. Je le faisais pour elle. Je la coiffais aussi, je l'aidais à enfiler ses chaussures et je lui nouais ses lacets.

Mais Grand-Mamy n'avait plus besoin d'aide pour parler ! Les premiers temps, à l'hôpital, elle mélangeait les mots et disait n'importe quoi mais, quand elle a été prête à rentrer chez elle, elle s'exprimait parfaitement. Elle avait même tendance à trop l'ouvrir, distribuant les

ordres aux médecins et aux infirmières.
Ils n'appréciaient pas toujours. Mais
Grand-Mamy ne se laissait pas impres-
sionner. Parfois, elle se fâchait pour de
bon et leur disait leurs quatre vérités.

– Vous ne pouvez pas calmer votre
grand-mère ? a demandé une infirmière
à Sam.

Il a levé les yeux au ciel pour montrer
que c'était impossible. Il a bien suggéré
à Grand-Mamy de surveiller son lan-
gage. Mais Grand-Mamy lui a aussitôt
rabattu son caquet.

Je n'ai pas pu m'empêcher de rigoler :

– Toi, on n'est pas près de t'appeler
Grand-Mamy Bouche-Cousue !

Sam, Maman, Rory, Jake et l'infirmière ont tous eu un hoquet de surprise.
Mais Grand-Mamy ne s'est pas vexée :

– Tu es une petite fille pleine de vie,
Lulu. Tu dois tenir ça de moi.

Elle a oublié qu'elle n'était pas ma vraie Grand-Mamy. Mais une chose est sûre, elle fait partie de la famille.

Maintenant qu'elle a regagné son appartement, elle me gronde encore de temps à autre. Mais je ne m'en formalise pas. C'est dû au fait qu'elle se fatigue facilement, parce qu'une de ses jambes ne veut pas lui obéir. Grand-Mamy s'énerve de marcher aussi lentement. Mais dehors, elle peut foncer plein pot parce qu'elle a une sorte de scooter électrique pour faire ses courses. Rory et Jake trouvent ça super cool. Il n'arrêtent pas de demander à Grand-Mamy de leur laisser conduire son engin mais elle ne veut pas en entendre parler.

Et vous savez quoi ? Quand Sam me dépose chez Grand-Mamy après l'école, elle et moi nous filons en cachette jusqu'au magasin d'antiquités pour voir s'il

n'y aurait pas des poupées en vente. Souvent, je trottine à côté d'elle. Mais parfois elle me laisse m'asseoir sur ses genoux et même conduire le scooter !

L'autre jour, nous avons acheté une magnifique poupée de porcelaine. Elle porte une robe rouge et un tablier blanc sur lequel sont brodées de minuscules roses. Lorsque nous l'avons rapportée à la maison, nous lui avons offert le thé en compagnie d'Alice, Sophie, Charlotte, Edouard et Clémentine.

— Mais elle ne va pas vivre avec eux dans la malle, a dit Grand-Mamy. Il va falloir demander à ton père de lui construire une étagère.

Mon père ? Soudain j'ai compris qu'elle parlait de Sam.

— Il est très fort en bricolage. Il a fabriqué de petites étagères pour les CD de Maman.

Grand-Mamy a eu un reniflement de dédain. Elle ne s'entend toujours pas très bien avec ma mère.

Et à vrai dire, c'est réciproque. Mais ça ne fait rien. Je peux les aimer toutes les deux. Ainsi que Rory. Et Jake. Et même Sam. Parfois.

Ils m'aiment tous, eux aussi. Surtout Grand-Mamy.

— Comment allons-nous baptiser la nouvelle poupée, Grand-Mamy ? J'ai une bonne idée : Bouton-d'or.

— Non, je lui ai déjà choisi un prénom. Celui d'une personne qui m'est très chère.

— Qui ça ? Qui ça ?

— Arrête de caqueter comme ça ! Seigneur, quand je pense qu'on ne pouvait pas t'arracher un mot, voilà que tu te mets à brailler comme un âne. Calme-toi. Je vais appeler cette poupée Lucy.

— Lucy ? ai-je répété. Eh, mais c'est mon vrai nom, même si tout le monde m'appelle Lulu !

– Sans blague ?

Les yeux bleus de Grand-Mamy brillaient.

Je lui ai souri de toutes mes dents. Fini la bouche cousue !

FIN

Jacqueline Wilson est née à Bath, en Angleterre, en 1945. Fille unique, elle se retrouvait souvent livrée à elle-même et s'inventait alors des histoires. A seize ans, elle intègre une école de secrétariat quand elle remarque une annonce dans un journal qui recherche une jeune journaliste et décide de tenter sa chance. Après son mariage et la naissance de leur fille, Emma, la famille s'installe à Kingston et Jacqueline Wilson travaille alors en free-lance pour différents journaux. A vingt-quatre ans, elle publie une série de romans policiers pour adultes puis se lance dans l'écriture de livres pour enfants, ce qui avait toujours été son rêve. Elle a publié à ce jour plus de soixante-dix livres pour enfants, traduits en plus de dix-huit langues et récompensés par de nombreux prix littéraires. Aux Éditions Gallimard Jeunesse, elle a déjà fait paraître : *Ma chère momie* (Folio Cadet), *La double vie de Charlotte*, *A nous deux ! Maman, ma sœur et moi*, *A la semaine prochaine* (Folio Junior) et *Mon amie pour la vie* (Hors-série littérature).

Nick Sharratt, auteur-illustrateur de livres pour enfants, est né à Londres en 1962. Il travaille pour la presse, l'édition et collabore à tous les livres de Jacqueline Wilson. Ses dessins, pleins d'humour et de fantaisie, s'harmonisent parfaitement au style de chacun de ses livres.

Voici, parmi les nombreux titres
de la collection Folio Cadet, une petite sélection variée :

Longue vie aux dodos, 230
de Dick King-Smith
illustré par David Parkins

Mon petit frère est un génie, 338
de Dick King-Smith
illustré par Judy Brown

Sarah la pas belle, 223

Sarah la pas belle se marie, 354
de Patricia MacLachlan
illustrés par Quentin Blake

Oukélé la télé ? 190
de Susie Morgenstern
illustré par Pef

Le lion blanc, 356
de Michael Morpurgo
illustré par Jean-Michel Payet

L'ours qui ne voulait pas danser, 399
de Michael Morpurgo
illustré par Raphaëlle Vermeil

Le secret de grand-père, 414
de Michael Morpurgo
illustré par Michael Foreman

Toro ! Toro ! 422
de Michael Morpurgo
illustré par Michael Foreman

Réponses bêtes à des questions idiotes, 312

Tétine Ier, 388
de Pef

Nous deux, rue Bleue, 427
de Gérard Pussey
illustré par Philippe Dumas

Le petit humain, 193
de Alain Serres
illustré par Anne Tonnac

L'ogron, 218
de Alain Serres
illustré par Véronique Deiss

La chouette qui avait peur du noir, 288
de Jill Tomlinson
illustré par Céline Bour-Chollet

Les poules, 294
de John Yeoman
illustré par Quentin Blake

Lulu Bouche-Cousue, 425
de Jacqueline Wilson
illustré par Nick Sharratt

Ma chère momie, 419
de Jacqueline Wilson
illustré par Nick Sharratt

LES GRANDS AUTEURS POUR ADULTES ÉCRIVENT POUR LES ENFANTS

BLAISE CENDRARS

ROALD DAHL

MICHEL DÉON

JEAN GIONO

MAX JACOB

J.M.G. LE CLÉZIO

JACQUES PRÉVERT

CLAUDE ROY

MICHEL TOURNIER

MARGUERITE YOURCENAR

RETROUVEZ VOS HÉROS

Avril
de Henrietta Branford
illustré par Lesley Harker

L'insupportable William
de Richmal Crompton
illustré par Tony Ross

Lili Graffiti
de Paula Danziger
illustré par Tony Ross

Zack
de Dan Greenburg
illustré par Jack E. Davis

Sophie, la petite fermière
de Dick King-Smith
illustré par Michel Gay

Les Massacreurs de dragons
de K. H. McMullan
illustré par Bill Basso

Amélia
de Marissa Moss

Amandine Malabul
de Jill Murphy

La famille Motordu
de Pef

Les inséparables
de Pat Ross
illustré par Marylin Hafner

Éloïse
de Kaye Thompson
illustré par Hilary Knight

Les Chevaliers en herbe
de Arthur Ténor
illustré par Denise et Claude
Millet

BIOGRAPHIES
DE PERSONNAGES CÉLÈBRES

**Louis Braille, l'enfant
de la nuit,** 225
de Margaret Davidson
illustré par André Dahan

**La métamorphose d'Helen
Keller,** 383
de Margaret Davidson
illustré par Georges Lemoine